Le fils du meunier   Le Chat botté   Le roi   La princesse   L'ogre

Le Chat botté

Adapté par Anne Royer • Illustré par Pascal Vilcollet

Éditions Lito

*I*l était une fois...

... un meunier qui avait trois fils. À sa mort, il laissa son moulin à l'aîné, son âne au cadet et son chat au benjamin.

Celui-ci, prenant son mistigri sous le bras, se désola :

– Quel malheur ! Une fois que j'aurai mangé ce maigre matou, il ne me restera que mes yeux pour pleurer...

– Ne te lamente donc pas ! lui dit le chat. Donne-moi seulement une paire de bottes et un grand sac, et je te promets que tu te retrouveras bientôt plus riche que tes frères.

Comme il n'avait plus grand-chose à perdre, le cadet fit ce que le chat demandait. L'animal enfila ses bottes, attacha son sac en bandoulière et s'élança dans les broussailles.

Il en sortit un magnifique lapin qu'il porta aussitôt au roi.

– Voici, lui dit-il, un présent que mon maître, le marquis de Carabas, m'a demandé de vous offrir.

Le souverain le remercia, le chat salua bien bas et puis s'en alla. Il était fort content de cet accueil et surtout du nom qu'il avait inventé pour son maître.

Le lendemain, le Chat botté revint à la Cour. Cette fois, il amena des perdrix. Le jour suivant, ce furent des faisans, et ainsi de suite pendant trois mois. Le roi semblait prendre plaisir aux visites du Chat botté et lui demandait, à chaque fois, de présenter ses hommages au marquis de Carabas.

Un beau jour, le chat apprit que le roi et sa fille devaient se rendre le lendemain au bord de la rivière. Il fila chez son maître.

– Si vous m'écoutez, votre fortune est faite ! Demain, baignez-vous à l'endroit que je vous indiquerai et faites mine de vous noyer…

Encore une fois, le cadet écouta son chat. À l'heure dite, quand passa le carrosse royal, il fit semblant de perdre pied.

– Le marquis de Carabas se noie ! hurla le Chat botté, qui se trouvait sur la berge.

Le roi, entendant ce nom désormais familier, demanda à ses gens d'aller secourir le malheureux.

Celui-ci se retrouva bientôt au sec, et le roi lui fit porter de magnifiques habits. Le voyant si beau, la princesse en tomba amoureuse et l'invita à prendre place dans le carrosse.

Le Chat botté se mit alors à courir devant l'équipage. En chemin, il croisa des hommes en train de faucher.

– Si le roi, dit-il, vous demande à qui est ce champ, dites bien qu'il appartient au marquis de Carabas, sinon il vous en cuira !

Il fit de même avec tous les paysans qu'il rencontra en route, et tous promirent de lui obéir.

Quelques heures plus tard, le roi fut ainsi persuadé que toutes les terres de la région appartenaient au marquis de Carabas.

À la tombée du soir, le Chat botté entra dans la cour d'un sompteux château appartenant à un ogre très riche.

Le matou lui fit mille flatteries.

– On m'a raconté, dit-il, que vous pouviez vous changer en n'importe quel animal. Est-ce vrai ?

– Bien sûr, tonna l'ogre. Veux-tu me voir en lion, en ours ou bien en loup ?

Le Chat botté choisit le lion et, aussitôt, se retrouva en présence d'un énorme félin. Il partit se cacher sous un meuble.

– C'est incroyable ! s'écria-t-il depuis sa cachette. Mais un ogre de votre taille sait-il aussi se changer en rat ou en souris ?

Orgueilleux, l'ogre se métamorphosa, sur-le-champ, en petite souris. À peine eut-il fait cela, que le Chat botté le croqua et s'en alla ouvrir largement les grilles du château afin que le carrosse du roi puisse y entrer.

– Bienvenue chez le marquis de Carabas ! cria-t-il au passage de l'équipage.

– Comment cela ! s'exclama le roi. Cette demeure est également la vôtre, marquis ?

Le souverain n'attendit pas la fin de la journée : il accorda la main de sa fille à ce jeune homme qui lui semblait parfait en tous points.

Le cadet et son épouse vécurent heureux et eurent de nombreux enfants. Ils gardèrent toujours auprès d'eux le Chat botté auquel ils devaient leur si grand bonheur.